Mae'r llyfr

DREF WEN

hwn yn perthyn i:

_____

_____

_____

_____

© 1991 Kim Lewis
© y cyhoeddiad Cymraeg 1994 Gwasg y Dref Wen

Cyhoeddwyd yn wreiddiol yn Saesneg 1991 gan Walker Books Cyf, Llundain
dan y teitl *Emma's Lamb.*
Y cyhoeddiad Cymraeg 1994 gan Wasg y Dref Wen,
28 Ffordd yr Eglwys, Yr Eglwys Newydd, Caerdydd CF4 2EA
Ffôn 0222 617860

Argraffwyd yn Hong Kong.

Oen Bach Rhiannon

Kim Lewis

DREF WEN

Un bore gwlyb o wanwyn, daeth tad Rhiannon i gegin y fferm gydag oen bach colledig. Rhoddodd e'r oen mewn blwch ar bwys y stof. Yna aeth yn ôl i'r caeau i chwilio am y fam.

Edrychodd yr oen a Rhiannon ar ei gilydd.

"Baa," meddai'r oen, gan godi ar ei eistedd yn y blwch.

Roedd Rhiannon eisiau cadw'r oen bach a gofalu

amdano fe ei hunan.

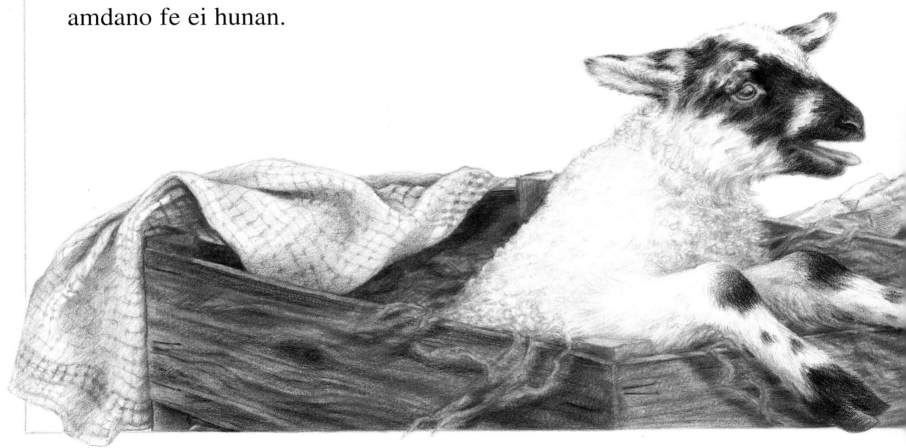

Felly sychodd Rhiannon yr oen,

am ei fod mor wlyb.

Ceisiodd ei gadw'n gynnes,

am ei fod yn oer iawn.

A rhoddodd fwyd iddo,

achos roedd e bron â llwgu.

Pan oedd yr oen yn sych ac yn gynnes,

dechreuodd Rhiannon chwarae ag e.

"Baa!" meddai'r oen. Doedd ganddo

ddim clem sut i chwarae.

Yna aeth Rhiannon â'r oen am dro,

a sgipiodd yr oen ar ei hôl.

Penderfynodd Rhiannon chwarae cuddio.

Caeodd ei llygaid a rhifo i ddeg.

"Dw i'n dod!" galwodd hi.

Chwiliodd Rhiannon am yr oen yn y stabl.

Chwiliodd yn y sgubor.

Chwiliodd yn y beudy,

ac o amgylch y buarth i gyd.

Roedd hi'n methu gweld yr oen yn y tŷ.

Doedd e ddim yn y blwch.

Doedd e ddim yn y gorlan chwaith.

"Dw i'n rhoi lan!"

gwaeddodd Rhiannon.

Ond doedd dim sôn am yr oen yn unman.

Doedd Rhiannon ddim eisiau chwarae rhagor.

Eisiau'r oen yn ôl roedd hi.

Roedd hi'n ofni y byddai fe'n oer ac yn llwgu.

"Oen, ble rwyt ti?" galwodd.

Daeth "Baa!" trist o'r sied wair.

Rhedodd Rhiannon i edrych.

Dyna lle roedd yr oen, yn y nyth

lle byddai'r ieir yn dodwy eu hwyau.

"Baa!" brefodd yr oen,

a rhedodd at Rhiannon.

"Oen bach, rown i'n meddwl dy fod ar goll,"
meddai Rhiannon, a'i ddal yn glòs.

Doedd hi ddim yn gallu gofalu am yr oen ar
ei phen ei hun. Roedd angen ei fam arno.

Ond ble roedd hi?

Yna gwelodd Rhiannon ei thad yn dod dros y cae.

Roedd dafad heb oen yn rhedeg o'i flaen, yn brefu.

"Baa!" brefodd yr oen yn ôl,

gan ymladd i ddianc o afael Rhiannon.

Rhoddodd Rhiannon e i lawr,

a rhedodd yr oen nerth ei draed bach at ei fam.

Trannoeth yn gynnar, aeth Rhiannon i'r cae.

Galwodd, a daeth yr oen yn rhedeg i'w gweld.

"Fyddi di'n fy nghofio i, dywed?" meddai Rhiannon.

Edrychai'r oen a Rhiannon y naill ar y llall.

"Baa!" meddai'r oen, a siglo'i gynffon.

Dyma rai llyfrau lliwgar clawr meddal o'r
DREF WEN
ichi eu mwynhau . . .

Storïau

Y Ci Bach Newydd *Laurence a Catherine Anholt*

Stori am yr Haf *Jill Barklem*

Stori am y Gaeaf *Jill Barklem*

Y Lindysyn Llwglyd Iawn *Eric Carle*

Mr Arth a'r Picnic *Debi Gliori*

Arth Hen *Jane Hissey*

Eira Mawr *Jane Hissey*

Pen-blwydd Ianto *Mick Inkpen*

Y Ci Mwya Ufudd yn y Byd *Anita Jeram*

Y Wrach Hapus *Dick King-Smith/Frank Rodgers*

Eira Cyntaf *Kim Lewis*

Fflos y Ci Defaid *Kim Lewis*

Oen Bach Rhiannon *Kim Lewis*

Ffred, Ci'r Fferm *Tony Maddox*

Ffred a'r Diwrnod Wyneb-i-waered *Tony Maddox*

Bore Da, Broch Bach *Ron Maris*

Twm Chwe Chinio *Inga Moore*

Beth Nesaf? *Jill Murphy*

Heddwch o'r Diwedd *Jill Murphy*

Pum Munud o Lonydd *Jill Murphy*

Heddlu Cwm Cadno *Graham Oakley*

Mrs Mochyn a'r Sôs Coch *Mary Rayner*

Perfformiad Anhygoel Gari Mochyn *Mary Rayner*

Arth Bach Drwg *John Richardson*

Cwningen Fach Ffw *Michael Rosen/Arthur Robins*

Wil y Smyglwr *John Ryan*

O, Eliffant! *Nicola Smee*

Wyddost ti beth wnaeth Taid? *Brian Smith/Rachel Pank*

Methu cysgu wyt ti, Arth Bach? *Martin Waddell/Barbara Firth*

Llyfrau Gweithgaredd

Ble Mae Wali? *Martin Handford*

Chwarae a Lliwio gyda Postman Pat *Llyfr sychu'n lân*

Dosbarthu *Llyfr sticeri*

Cyfres Fferm Tŷ-gwyn *gan Jill Dow*

Swper i Sali

Cartref i Tanwen

Dyfrig yn Mynd am Dro

Geifr Bach Drwg

Cywion Rebeca